Les chaussures sont parties pour le week-end

Trois petites pièces de théâtre

Loi n° 49.956 du 16 juillet 1949 sur les publications
destinées à la jeunesse : mars 2015
Dépôt légal : mars 2015
Imprimé en France par Clerc
à Saint-Amand-Montrond

ISBN 978-2-211-22312-6

Catharina Valckx

Les chaussures sont parties pour le week-end

Trois petites pièces de théâtre

l'école des loisirs
11, rue de Sèvres, Paris 6e

Le Maître et la servante

Les personnages

LE MAÎTRE

GINETTE, la servante

LA PENDULE

LE JARDINIER *(facultatif)*

Le décor

Une chambre. Le lit du maître, recouvert d'un long dessus-de-lit. Gros oreillers.

Une table de chevet, avec dessus une clochette. Un manteau tout froissé posé sur le dossier d'une chaise. La pendule. Une porte (ou un rideau).

Le Maître est au lit, en chemise de nuit. Il dort. Lentement, il se réveille. Il s'étire.

LE MAÎTRE : Ginette !

Il agite une sonnette. Il attend. Pas de réponse.

LE MAÎTRE *(plus fort)* : Ginèèèètte ! !

Il agite violemment la sonnette. Ginette, en tablier, entre par la porte (ou le rideau). Elle allume la lumière (si possible).

GINETTE : Oui, oui, Maître, me voilà.

LE MAÎTRE *(grognon)* : Où étais-tu ?

GINETTE : Dans la cuisine. J'étais en train de plumer le poulet.

LE MAÎTRE *(s'asseyant sur le bord du lit)* : Sûrement, oui. Dis plutôt que tu bavardais avec le jardinier.

GINETTE : Mais non, Maître, je vous assure. Vous voulez que je vous le montre, le poulet que j'ai plumé ?

LE MAÎTRE : Non, non. Ça va, je te crois. Dis-moi, quelle heure est-il ?

GINETTE : Je ne sais pas. Je vais demander à la pendule, Maître.

Ginette s'approche de la pendule, y frappe trois petits coups.

GINETTE : Pendule, quelle heure est-il ?

LA PENDULE : Il est onze heures.

Ginette retourne vers le lit.

GINETTE : Il est onze heures, Maître.

LE MAÎTRE : Très bien. Onze heures. Je vais me lever. Tu as repassé mon manteau ?

GINETTE : Oui, Maître, je l'ai repassé.

Ginette prend sur une chaise un manteau terriblement froissé et le lui présente.

GINETTE : Il est impeccable.

LE MAÎTRE : Très bien. Aide-moi. *(Il enfile le manteau tout froissé.)* Bon. Où sont mes chaussures ?

GINETTE : Je ne sais pas, Maître. Peut-être sous le lit.

LE MAÎTRE : Ah oui, c'est possible.

Ginette ne bouge pas.

LE MAÎTRE : Eh bien, qu'est-ce que tu attends ? Regarde sous le lit !

GINETTE : Ah oui.

Ginette s'accroupit et retire tout un tas de choses de sous le lit. Par exemple, une bouée, un animal en peluche, une planche, une théière, un bouquet de fleurs, un chapeau, une casserole… toutes sortes de choses qui n'ont rien à faire sous un lit.

GINETTE : Ben non, elles sont pas sous le lit.

LE MAÎTRE : Ah. Alors tant pis. Je ne mettrai pas de chaussures.

Ginette se relève et, du pied, elle repousse quelques objets sous le lit.

LE MAÎTRE : Qu'est-ce que nous avons au déjeuner, aujourd'hui ?

GINETTE : Du poulet.

LE MAÎTRE : Ah oui, c'est vrai. Du poulet. Du poulet à quoi ?

GINETTE : Du poulet au poulet.

LE MAÎTRE : Très bien. J'ai faim. Où en est-il, ce poulet ?

Ginette sort un poulet plumé de la grande poche avant de son tablier.

GINETTE : … Il en est là.

LE MAÎTRE *(effrayé)* : Aaah ! ! Quelle horreur ! Range-moi ça !

Ginette, étonnée de sa réaction, regarde le poulet en le balançant un peu.

GINETTE : Ce n'est pas une horreur, c'est un bon poulet, Maître.

LE MAÎTRE *(se cachant les yeux)* : Je ne veux plus le voir. Fais-le disparaître.

GINETTE : Disparaître ? Comment je fais ?

LE MAÎTRE : Mais remets-le dans ta poche ! Ah là là…

Ginette remet le poulet dans sa poche.

GINETTE : Je peux retourner à la cuisine ?

Le Maître baisse les bras.

LE MAÎTRE : Non. *(Il s'assoit sur le lit.)* J'ai froid aux pieds. Où peuvent-elles bien être, mes chaussures ?

GINETTE : Je vais demander à la pendule, Maître.

Ginette donne quelques petits coups sur la pendule.

GINETTE : Pendule, où sont les chaussures de notre Maître ?

LA PENDULE : Il est onze heures cinq.

GINETTE : Je ne te demande pas l'heure ! Je m'en doute bien qu'il est onze heures cinq, il était onze heures il y a cinq minutes. Ma question, c'est : Où sont les chaussures du Maître ?

LA PENDULE : Du poulet au poulet. Et sans légumes, s'il vous plaît.

Ginette se tourne vers le Maître.

GINETTE : J'ai l'impression que la pendule est détraquée.

LE MAÎTRE : Donne-lui un coup de pied.

Ginette fait ce qu'il dit.

La pendule : Aïe !

Ginette *(criant)* : Alors, où sont les chaussures de notre Maître ?

La pendule : Elles ont pris le train de huit heures.

Ginette *(à son maître)* : Elles ont pris le train de huit heures.

Le Maître : Quoi ? Le train ? Pour aller où ?

Ginette *(à la pendule)* : Le train pour aller où ?

La pendule : …

Ginette *(répétant)* : Elles ont pris le train pour aller où, ses chaussures ?

LA PENDULE : Je ne me souviens pas. Elles sont parties pour le week-end.

GINETTE *(à son maître)* : Elles sont parties pour le week-end.

LE MAÎTRE : Comme ça, sans prévenir ?

LA PENDULE : Sans prévenir, en effet, sans prévenir, mais elles vont revenir.

LE MAÎTRE : Tout un week-end sans chaussures ! Qu'est-ce que je vais faire ? Ginette, que peut-on faire sans chaussures ?

GINETTE : Je vais demander à la pendule.

LE MAÎTRE : Arrête de tout demander à ma pendule. Elle est fatiguée. Tu as bien une idée, non ? Sans chaussures, qu'est-ce que tu ferais, à ma place ?

Ginette réfléchit.

GINETTE : Je danserais. En chaussettes.

LE MAÎTRE : Hum, ce n'est pas une mauvaise idée. Danser. Pourquoi pas ? Il me faut un peu de musique. Pendule, fais-nous entendre quelque chose. Un petit air entraînant.

LA PENDULE : Je vais vous mettre ma chanson préférée. Attendez voir… attendez… ah… musique !

On entend Daddy Cool, *de Boney M., ou un autre morceau qui vous plaît pour danser. Ginette ramasse le chapeau et s'en coiffe.*

Le Maître et elle se mettent à danser. Par exemple ils lèvent les bras en même temps, debout l'un à côté de l'autre. Ils font un pas à droite, un pas à gauche. Puis ils lancent les bras vers la gauche, trois fois, puis vers la droite, trois fois.

Vous pouvez imaginer la suite de la danse, des mouvements rigolos. Ils dansent seuls ou ensemble.

À un moment Ginette sort le poulet de sa poche et le fait tournoyer en le tenant par la tête.

Le Maître l'aperçoit.

Horrifié, il se cache les yeux. Ginette rit et remet le poulet dans sa poche. Ils dansent jusqu'à la fin de la chanson.

Éventuellement le jardinier peut faire son apparition (avec un râteau) et se joindre à la danse.

La chanson terminée, le Maître s'affale sur le lit.

LE MAÎTRE : Aaaah ! Je suis mort !

Ginette le regarde en penchant la tête.

GINETTE : C'est très bien de danser, ça ouvre l'appétit.

Le Maître bâille. Il enlève son manteau, le donne à Ginette.

LE MAÎTRE : Je me recouche. Tu me réveilleras quand le poulet sera prêt.

LA PENDULE : Du poulet au poulet, sans légumes frais, s'il vous plaît.

LE MAÎTRE : Tais-toi, pendule ! Tu éteindras en sortant, Ginette. *(Si possible, sinon remplacer par « Ferme bien en sortant, Ginette. »)*

GINETTE : Bien, Maître.

Ginette pose le manteau sur la chaise, éteint, sort.

Petit silence.

LA PENDULE : Il est onze heures dix et le week-end s'annonce pluvieux. Mais le poulet sera bon et les chaussures vont rentrer… décontractées. Oh yé, poil au nez.

LE MAÎTRE *(fort)* : Tais-toi, pendule !

LA PENDULE : Je me tais, tu te tais, il se tait, nous nous teillons.

LE MAÎTRE : Nous nous taisons, pas nous nous teillons !

LA PENDULE : Si, si. Nous nous teillons et nous nous embrassons.

LE MAÎTRE : N'importe quoi.

LA PENDULE : Je ne dis plus rien.

LE MAÎTRE : Non, ça vaut mieux. Moi non plus. Je dors.

Le Maître se retourne et s'endort. Par une fente dans la pendule (par où regarde l'enfant caché à l'intérieur) apparaît un petit carton avec le mot FIN, tenu par un fil.

Propositions pour les déguisements

LE MAÎTRE

Il a des favoris. Il est vêtu d'une chemise de nuit et coiffé d'un bonnet de nuit. Il a un gros ventre (coussin). Il porte des chaussettes sur ses jambes nues. Il a un manteau tout froissé.

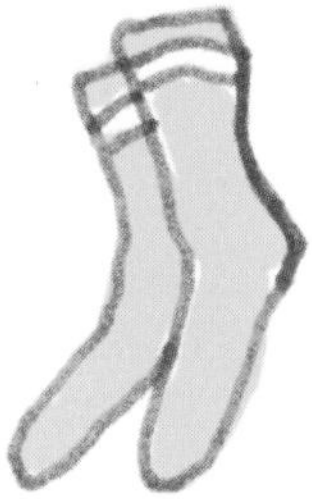

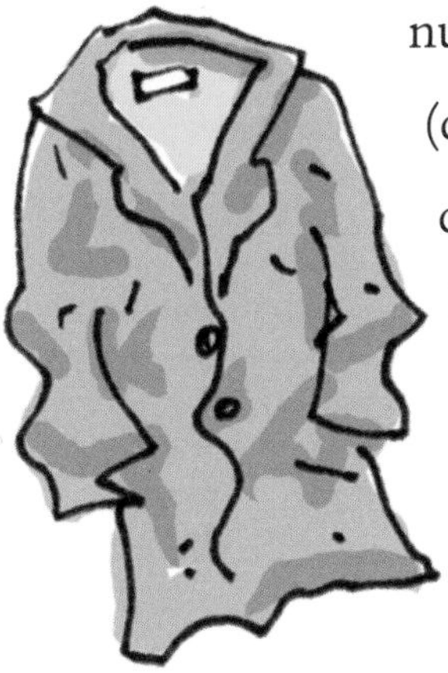

GINETTE

Elle a les cheveux attachés. Un tablier de servante avec une grande poche devant.

LA PENDULE

La pendule peut être bricolée avec du carton. Un enfant, qui joue le rôle de la pendule, doit pouvoir se cacher dedans. Elle a un cadran sans aiguilles.

LE JARDINIER *(facultatif)*

Chapeau, bottes, râteau.

Accessoires

Une clochette.

Le poulet peut être, par exemple, un poulet en plastique provenant d'un magasin de farces et attrapes. Ou un poulet en papier mâché.

Il faut cacher de nombreux objets sous le lit : un chapeau et d'autres objets très différents, n'ayant aucun rapport les uns avec les autres, et surtout inhabituels sous un lit.

Comme musique pour danser, je propose *Daddy Cool*, de Boney M. (Attention : pas la version live accompagnée de soupirs.)

Sinon, un autre morceau qui vous plaît, très rythmé, dansant. Le lecteur de CD ou autre peut se trouver dans la pendule, ou en dehors de la scène, manipulé par quelqu'un qui est dissimulé.

Le magasin de M. Pok

POK
ANIMAUX
de toutes espèces

Les personnages

M. POK

LA DAME

LE VIEUX MONSIEUR

LE DIPLODOCUS

Le décor

Le magasin de M. Pok. Un comptoir et, derrière ce comptoir, toutes sortes de boîtes en carton. Des petites (boîtes à chaussures) et des plus grandes. Deux portes (ou rideaux).

Une pancarte, bien en vue :

POK
ANIMAUX
de toutes espèces
SINGE
perroquet
la
crocodil
vache
chat
LION

M. Pok met des graines dans un sachet, sur le comptoir.

Entre une dame, par la porte.

LA DAME : Bonjour monsieur Pok.

POK : Bonjour madame. Que puis-je faire pour vous ? Vous désirez acquérir un animal ?

LA DAME : Oui. Je voudrais un animal de compagnie. Je pensais à un chat.

POK : Un chat. Oui… un gros chat ou un petit chat ?

LA DAME : Un petit chat, s'il vous plaît. Un gentil petit chat.

POK : Oui… très bien, un gentil petit chat. Je vais voir ce que j'ai…

M. Pok se retourne et déplace des boîtes.

POK : Voyons voyons… *(Il prend une boîte, lit l'inscription.)* Ah non, celui-ci n'est pas gentil. Il griffe et il mord.

LA DAME : Oh non, alors !

Pok repose la boîte. En prend une autre, qui paraît lourde. Lit.

POK : Celui-là… il n'est pas petit. Il est énorme. *(Repose, prend une autre boîte.)* Ah ! Celui-ci est parfait. Un gentil p'tit chat plein de puces.

LA DAME : Plein de puces ? ? ? Mais… je ne veux pas d'un chat plein de puces !

POK : Je comprends. Mais il n'est pas cher.

La dame hésite.

LA DAME : Montrez-le-moi.

M. Pok ouvre la boîte.

POK : Regardez vite, je ne veux pas que les puces s'échappent.

La dame se penche pour regarder, M. Pok referme très vite la boîte.

POK : Il vous plaît ?

LA DAME : Je ne l'ai pas très bien vu. Et puis toutes ces puces…

POK : Voulez-vous que je le passe à la bombe antipuces ?

LA DAME : Ah oui, c'est une bonne idée.

M. Pok prend une bombe derrière son comptoir, ouvre la boîte et en asperge l'intérieur largement.

POK *(lui-même, imitant le chat)* : Miaou. *(Vite, il referme la boîte.)* Miaou miaou. Voilà, ça devrait faire l'affaire.

Entre un vieux monsieur.

VIEUX MONSIEUR : Bonjour m'sieur-dame !

POK : Bonjour monsieur. *(À la dame)* Alors, madame, vous le prenez, ce petit chat ?

LA DAME : J'hésite. Occupez-vous d'abord de monsieur.

POK
ANIMAUX
de toutes
SINGE
perroquet
koala
chat

POK : Oui, c'est ça, réfléchissez. Monsieur, que puis-je faire pour vous ?

VIEUX MONSIEUR : J'aurais voulu un mouton noir.

POK : Un mouton noir ? Ah. Je suis désolé, j'ai vendu le dernier la semaine dernière.

VIEUX MONSIEUR : Dommage. Alors je prendrai un dinosaure.

POK : Un dinosaure ? Vous ne savez donc pas que les dinosaures ont disparu depuis belle lurette ?

VIEUX MONSIEUR : Si, si, je sais bien. Mais j'espérais...

POK : Ha ! Vous avez de la chance, monsieur. J'en ai un ! J'ai le dernier dinosaure vivant.

VIEUX MONSIEUR *(ravi)* : C'est vrai ? Vous avez le dernier ? Où est-il ?

POK : Il est dans un enclos, derrière le magasin. Je vais le chercher. Je reviens tout de suite.

La dame et le monsieur attendent. D'abord en silence. Puis on entend des bruits d'animaux.

LA DAME *(reniflant)* : Ça ne sent pas très bon.

VIEUX MONSIEUR : Qu'est-ce que vous voulez, avec toutes ces bestioles… Vous vous rendez compte, le dernier dinosaure ?

LA DAME : Oui. Vous n'avez pas peur ? Moi, je veux un gentil petit chat… ah, le voilà !

M. Pok entre avec une poussette. Dans la poussette, le dinosaure.

POK : Voici votre dinosaure ! C'est un diplodocus. Alors ? *(dans un grand sourire)* Qu'en pensez-vous ?

LA DAME : Pourquoi est-il dans cette poussette ? Il ne sait pas marcher ?

POK : Bien sûr que non. Qu'est-ce que vous croyez ? Il est trop vieux. Il a 65 millions d'années.

VIEUX MONSIEUR : 65 millions d'années ! ! Impressionnant. Je lui tire mon chapeau.

Il tire son chapeau.

LA DAME : Qu'est-ce qu'il est mignon !

Le vieux monsieur tourne autour de la poussette.

VIEUX MONSIEUR : Je voyais ça beaucoup

plus grand, un diplodocus. Avec un long cou et une longue queue…

POK : Il a rétréci. Avec l'âge, vous pensez.

VIEUX MONSIEUR : Ah… c'est ça ! Il n'est pas dangereux, au moins ? Qu'est-ce qu'il mange ?

POK : Il est végétarien. Il ne ferait pas de mal à une mouche.

LA DAME : Vous êtes sûr qu'il est vivant ? Ce n'est pas un fossile ? Il ne bouge pas beaucoup.

POK : Vivant ! Bien sûr qu'il est vivant ! Il sait chanter. C'est moi qui lui ai appris. Vous allez voir. *(Il sort de sa poche une feuille de salade, qu'il agite devant le diplodocus.)* Didi, chante ! Chante, Didi, si tu veux la salade !

~ POK ~
ANIMAUX
de toutes espèces

Le diplodocus émet quelques sons.

DIPLODOCUS : Aaa-Oooo-A-Euhhh *(puis se met à chanter tout bas)* Alouette, gentille alouette. Alouette, gentille Alouette/Alouette je te plumerai/Alouette, gentille alouette/ Alouette je te plumerai…

LA DAME : Ça alors ! C'est incroyable ! Il chante *Alouette gentille alouette* !

Tout le monde chante avec lui.

TOUS : … Je te plumerai la tête/Je te plumerai la tête/Et la tête, et la tête/Alouette, alouette/Oooooh/Alouette, gentille alouette/ Alouette je te plumerai, etc.

La dame et le vieux monsieur arrêtent de chanter.

Le diplodocus continue.

DIPLODOCUS : Alouette, gentille alouette… etc.

POK *(assez fort pour se faire entendre malgré le chant)* : Il chante aussi *Une souris verte*. Didi, chante-nous *Une souris verte* !

Le diplodocus chante toujours Alouette. *De plus en plus fort. La dame et le vieux monsieur se bouchent les oreilles.*

VIEUX MONSIEUR *(criant)* : Il peut arrêter ! ?

POK *(au diplodocus)* : Tais-toi ! ! *(Il secoue rudement la poussette.)* Tais-toi, je te dis ! ! ! Ça suffit ! ! ! *(Pas de résultat. M. Pok, exaspéré, lui crie en pleine figure :)* Arrête de chanter, tête de mule préhistorique !

Le diplodocus arrête enfin de chanter.

LA DAME *(lui caresse la tête)* : Regardez ce que vous avez fait ! Le pauvre, il est tout penaud. Donnez-lui au moins la salade, maintenant !

M. Pok lui donne la feuille de salade, que le diplodocus dévore. La dame, M. Pok et le vieux monsieur le regardent manger.

LA DAME : Il est sensible… il s'appelle Didi ?

POK : Didi ou Dudu, comme vous voulez.

Le diplodocus s'accroche maintenant aux jambes de la dame.

VIEUX MONSIEUR : J'ai l'impression qu'il vous aime bien. Vous pouvez le prendre, moi je n'en veux pas. J'ai les oreilles délicates.

LA DAME *(amusée)* : Il ne veut plus me lâcher !

POK : Didi, lâche la dame ! Madame, si vous le prenez, je vous donne deux salades avec. Je crois qu'il veut rester avec vous, je ne l'ai encore jamais vu comme ça.

LA DAME : C'est vrai ? Bon, alors d'accord, je le prends.

La dame se dégage difficilement et se dirige vers le comptoir.

POK : Ça fera cinq euros.

VIEUX MONSIEUR *(moqueur)* : Cinq euros ? C'est pas cher pour un diplodocus aussi musical.

La dame prend son porte-monnaie et paie M. Pok.

POK : Je vous félicite, madame. Ce n'est

pas tout le monde qui a pour animal de compagnie une espèce disparue. Et voici les deux salades.

Il les met dans un sachet en plastique.

LA DAME : Merci beaucoup. Eh bien au revoir, messieurs !

La dame quitte la pièce avec la poussette. Le diplodocus fredonne soudain Une souris verte.

DIPLODOCUS : Une souris verte/Qui courait dans l'herbe/Je l'attrape par la queue/Je la montre à ces messieurs/Ces messieurs me disent/Trempez-la dans l'huile/Trempez-la dans l'eau/Ça fera un escargot/Tout chaud.

POK *(dans un soupir)* : Si vous saviez comme je suis content d'être débarrassé de celui-là ! Vous prenez autre chose, monsieur ? J'ai des insectes en promotion, si ça vous intéresse.

M. Pok sort des petites boîtes d'allumettes.

POK : J'ai des coléoptères, des hannetons et… ah oui, une sauterelle

VIEUX MONSIEUR : Non, non, merci. Pas d'insectes. Qu'est-ce que vous avez d'autre ?

POK : J'ai aussi une grosse limace ! Vous ne voulez pas une grosse limace ? Pour faire un cadeau ? C'est bientôt la fête des Mères, vous savez.

VIEUX MONSIEUR : Non. Une limace… non…

POK : C'est une limace qui parle anglais.

VIEUX MONSIEUR : Ah bon ? C'est vrai ? Montrez-la-moi.

POK *(souriant)* : Voyons, où l'ai-je rangée ?… *(déplace des boîtes)* Ça, c'est le singe… les crabes… la voilà.

Il ouvre une boîte grande comme une boîte à chaussures.

VIEUX MONSIEUR : Elle est magnifique.

chat
tortue
P.
mouette
koala
Croco
Limace

Très grosse, en effet. Elle parle vraiment anglais ?

POK : Mais oui. *(À la limace :)* Do you speak english ? *(Lui-même, avec une petite voix)* Yes, I do. Vous voyez, elle a répondu Yes I do !

VIEUX MONSIEUR : Formidable. Je la prends.

POK : Ça fera deux euros cinquante.

Le vieux monsieur sort des pièces de sa poche et les donne à M. Pok. Celui-ci met les pièces dans sa caisse.

POK : Merci bien.

VIEUX MONSIEUR *(soulève son chapeau)* : Eh bien, à la prochaine, monsieur Pok.

POK : C'est ça. Au revoir, monsieur.

Le vieux monsieur quitte le magasin, la boîte à limace sous le bras. M. Pok reprend la boîte du chat. L'ouvre.

POK : Et toi, le chat ? Personne ne veut de toi. Tu n'avais qu'à apprendre l'anglais, toi aussi. Je te l'avais bien dit, parler anglais, ça augmente énormément les chances, dans la vie. Ce n'est pas compliqué de dire Yes I do, non ? Allez, je te donne des croquettes.

M. Pok prend une boîte de croquettes et en verse abondamment dans la boîte du chat.

POK : Bon appétit. Miaou.

Il referme la boîte et la range. Regarde sa montre.

POK : C'est l'heure. Je ferme.

Il sort une craie de sa poche et écrit sur le mur le mot FIN. Puis il accroche sa blouse et quitte le magasin.

Propositions pour les déguisements

M. Pok

Blouse de travail, moustache, montre.

La dame

Une vraie dame. Chaussures de dame, maquillage, manteau, jupe, sac et porte-monnaie.

Le vieux monsieur

Canne, dos courbé. Habillé de couleurs sombres. Petit chapeau.

Le diplodocus

Un enfant tout habillé de vert, chaussettes vertes aux pieds et aux mains. Foulard ou bonnet vert sur la tête, visage maquillé en vert (ou juste le nez).

Accessoires

Une poussette, une bombe aérosol (laque ou autre), une boîte de croquettes pour chat. Deux salades, des graines, un sac en plastique. Des pièces de monnaie. Et bien sûr plein de boîtes grandes et petites pour le magasin, des boîtes d'allumettes. Vous pouvez inscrire des noms d'animaux sur les boîtes (chat, crabes, singe, mouette, tatou, calamar, castor, sanglier...).

Le plus simple est de prendre deux tables, une recouverte d'un drap pour le comptoir, et derrière, une table où empiler les boîtes. Si vous avez une vraie caisse pour le comptoir, c'est formidable. Sinon, une boîte sur le comptoir peut servir de caisse. Si vous voulez, vous pouvez remplacer les chansons.

La sorcière et son chat

Personnages

LA SORCIÈRE

MOUSTAFA, le chat noir

LE GARÇON AUX MAINS IMMENSES

LE CERF

UN CHAT GRIS

DANSEURS *(facultatifs)*, le chasseur *(fusil, chapeau, bottes)*, un ou plusieurs champignons.

Le décor

Une pièce, dans la maison de la sorcière.

Un fauteuil.

Une table basse

Deux portes *(ou rideaux)* : une vers la cuisine, une vers l'extérieur.

La sorcière pose une assiette sur la table du salon et prend place dans le fauteuil. Moustafa est assis par terre et renifle.

LA SORCIÈRE *(lui donne une petite tape sur le nez)* : Non. Ce n'est pas pour toi, Moustafa. Va attraper une souris, si tu as faim.

MOUSTAFA : Il n'y a plus de souris depuis longtemps. Je suis tout maigre.

LA SORCIÈRE : Ah là là ! Tu n'es jamais content. Je ne cuisine pas pour les chats ! *(La sorcière prend une bouchée.)* Hummm.

Moustafa la regarde, se lèche les babines.

La sorcière : Il manque juste un petit verre de jus de champignon…

La sorcière se lève et quitte la pièce. Moustafa se dirige à pas feutrés vers l'assiette. Il dévore le contenu en un rien de temps. Il veut se sauver par la porte qui donne dehors, mais à peine l'a-t-il ouverte que le son d'un coup de feu l'arrête. PAN !

Vite, il se cache derrière le fauteuil, laissant la porte ouverte.

La sorcière entre dans la pièce, une carafe d'eau brune et un verre à la main. Elle s'assied, se sert un verre, boit une gorgée, repose le verre. C'est alors seulement qu'elle voit l'assiette vide. Elle s'en empare.

LA SORCIÈRE *(furieuse)* : Mon omelette aux vers de terre ! Moustafa ! ! *(Elle regarde à droite, à gauche.)* Où es-tu caché, chat de malheur ! ? Je vais t'apprendre à voler ta maîtresse !

Elle va vers la porte ouverte et crie.

LA SORCIÈRE : Attends que je t'attrape ! Je vais te changer en taupe !

Nouveau coup de feu. PAN !

La sorcière sursaute, ferme la porte et s'assoit dans le fauteuil. Soupire. On frappe à la porte.

LA SORCIÈRE : Ah, le voilà. Il a peur des chasseurs, bien sûr.

Elle va ouvrir. Derrière la porte un garçon aux mains immenses.

LA SORCIÈRE *(ricane en le voyant)* : Ah, c'est vous ! Les chasseurs ne vous ont pas tiré dessus ? Vous faites une jolie cible avec ces grandes mains !

Le garçon aux mains immenses entre ; *il est un peu timide.*

GARÇON AUX MAINS IMMENSES : Euh… eh bien, justement. C'est pour ça que je viens vous voir. Elles sont trop grandes. Je voudrais vous demander si vous pouvez me rendre mes petites mains.

LA SORCIÈRE : Ah, vous n'êtes jamais

satisfait, vous, alors ! D'abord vos mains étaient trop petites, et maintenant vous les trouvez trop grandes ! Allez, ouste ! J'ai mieux à faire, moi. Je cherche mon chat.

La sorcière le pousse dehors et ferme la porte. Mais elle se ravise et rouvre la porte.

LA SORCIÈRE : Hé ! Vous n'avez pas vu un chat noir en venant ici ? !

GARÇON AUX MAINS IMMENSES : Euh… non.

LA SORCIÈRE : Dommage. Si vous le voyez, dites-lui de rentrer tout de suite à la maison.

La sorcière claque la porte. Elle arpente la pièce de nouveau. Dehors, on entend des coups de feu. Elle se bouche les oreilles.

On frappe encore à la porte.

LA SORCIÈRE : C'est lui ! Ouf.

Elle ouvre.
Derrière la porte, un cerf.

LA SORCIÈRE : Un cerf ! Il ne manquait plus que ça. Qu'est-ce que tu veux, toi ?

LE CERF : Je cherche un abri pour la nuit, madame. La forêt est pleine de chasseurs. J'ai vu de la lumière chez vous, alors…

LA SORCIÈRE : De la lumière dans ma petite chaumière. Bon, entre.

Le cerf entre. La sorcière lui met un balai dans les mains.

LA SORCIÈRE : Tu sais faire le ménage ? Normalement, c'est mon chat qui nettoie la maison, mais il a disparu.

LE CERF : Madame, je suis un très bon balayeur.

LA SORCIÈRE : Ça tombe bien. Alors balaie. Moi, je vais chercher mon chat.

La sorcière prend un châle (accroché à un portemanteau ou un clou, ou juste sur le dossier d'une chaise), le pose sur ses épaules et sort. On l'entend qui appelle.

La sorcière : Moustafa ! Où es-tu passé ! ? Moumousse ! !

Le cerf donne encore un ou deux coups de balai, puis il s'affale dans le fauteuil. La tête du chat apparaît lentement au-dessus du dossier du fauteuil. Le cerf ne le voit pas. Il s'étire, bâille et ferme les yeux. Après un moment, on entend à nouveau la sorcière, près de la maison.

La sorcière : Moustafa !

Le cerf se lève et reprend le balayage. Elle entre.

La sorcière : Ah là là… ce chat va me tuer. Il n'a aucune gratitude. Je le loge, je lui donne du travail…

La sorcière voit le cerf.

La sorcière : Tu es encore là, toi ?

LE CERF : Oui. J'ai tout balayé.

LA SORCIÈRE : Formidable. Maintenant tu peux retourner dans ta forêt. Je n'ai plus besoin de toi.

LE CERF : Mais… et les chasseurs ! ?

LA SORCIÈRE : Quoi, les chasseurs ? J'espère qu'ils n'ont pas tué mon chat. Ils tirent sur tout ce qui bouge ! Mon chat est un brigand mais je préfère qu'ils tirent sur toi. Allez, dehors ! Ce n'est pas un asile pour animaux trouillards, ici !

LE CERF *(tenant toujours le balai)* : Mais je… je peux vous aider à retrouver votre chat. Je connais un moyen.

LA SORCIÈRE : Ah oui ? Et lequel ?

LE CERF : C'est simple. Il faut l'attirer ici. Et pour attirer un chat, il n'y a rien de mieux que la musique pour chat.

LA SORCIÈRE : La musique pour chat ? Et c'est quoi, la musique pour chat ?

LE CERF *(sort un CD de sa poche)* : C'est une chance ! J'en ai sur moi, justement. Vous avez un lecteur de CD ?

LA SORCIÈRE : Oui, là.

LE CERF : Vous verrez, quand il va entendre cette chanson, il va revenir. Nous allons ouvrir la porte pour qu'il entende bien s'il est dehors. *(Il ouvre la porte.)* Voilà.

LA SORCIÈRE *(s'assoit dans le fauteuil)* : Bon. De la musique pour chat. On ne perd rien à essayer.

Le cerf met le CD.

Musique : Porque te vas, *de Jeannette (par exemple).*

Le cerf veut s'asseoir sur un accoudoir du fauteuil mais la sorcière le repousse. Il reste debout. Danse un petit peu avec son balai.

Soudain, par la porte ouverte, entre en dansant le garçon aux mains immenses. La sorcière se lève d'un bond.

LA SORCIÈRE *(assez fort pour qu'on l'entende malgré la musique)* : Mais qu'est-ce que vous faites là encore, vous ? Fichez-moi le camp ! C'est de la musique pour chat !

La sorcière le repousse dehors. Elle se rassoit. Entre un chat gris, dansant.

LE CERF *(triomphant)* : Ah, vous voyez !

La sorcière se lève, elle coupe le son.

LA SORCIÈRE : Ce n'est pas mon chat. Le mien est noir. *(Au chat gris)* File, toi ! Ouste !

Elle se rassoit. Pleurniche. Sort un très grand mouchoir.

LA SORCIÈRE : Moustafa… mon minou. Qu'est-ce que je vais devenir sans lui ?

La tête de Moustafa, apparaît au-dessus du fauteuil.

LA SORCIÈRE *(reniflant)* : J'étais fâchée contre lui mais maintenant je suis inquiète. Il a mangé mon omelette aux vers. Ouh ouh ouh… J'aurais dû lui en donner un morceau. Je suis dure avec lui. Maintenant il est parti. Il a peur de moi.

Soudain le cerf aperçoit Moustafa. Il sursaute.

Moustafa met un doigt sur sa bouche pour lui demander de rester silencieux.

La sorcière sanglote dans son grand mouchoir.

LE CERF : Ne pleurez plus. Si je le fais revenir, est-ce que je pourrai rester chez vous jusqu'à la fin de la chasse ?

LA SORCIÈRE : S'il revient, tu peux rester tout l'hiver si tu veux.

LE CERF : Très bien. Et vous me promettez de ne pas le punir ?

LA SORCIÈRE : Promis. Je lui ferai même à manger, s'il revient.

LE CERF : Très bien. Alors remettons la musique.

LA SORCIÈRE : La musique ? Encore ? Tu crois ?

LE CERF : Oui. Je suis sûr que ça va marcher, cette fois.

Pendant que la sorcière se penche sur le lecteur, le cerf en profite pour pousser Moustafa dehors. Avec des gestes il lui explique : tu sors et tu reviens, OK ?

Musique : Porque te vas.

Rien. Puis soudain entre Moustafa, dansant. En le voyant la sorcière lève les bras au ciel.

LA SORCIÈRE : Moustafa ! ! *(Elle se précipite vers lui, le prend dans ses bras.)* Mon gros minou ! Je t'ai cherché partout ! Tu es revenu !

Elle embrasse aussi le cerf. Ils font une ronde de danse tous les trois.

Entrent le chat gris, puis le garçon aux mains immenses, puis éventuellement un chasseur, ou deux, d'autres animaux, un autre chat, un champignon. Tout le monde danse. Le cerf danse avec son balai, la sorcière avec son chat, etc.

Fin de la chanson.

Tout le monde, en rang, salue. Le garçon aux mains immenses reste le dernier sur scène et agite ses grandes mains, au revoir !

Propositions pour les déguisements

La sorcière

Classique ou fantaisiste, comme vous voulez. Un châle. Un très grand mouchoir.

Moustafa

Habillé tout de noir, chaussettes noires aux pieds et aux mains. Un foulard noir sur la tête, des oreilles de chat (montées sur un serre-tête, par exemple), une queue de chat. Des moustaches, un nez rose, de grands yeux.

Le cerf

Foulard marron sur la tête. On trouve des serre-tête imitant les bois de renne. Vous pouvez aussi en bricoler un avec du fil de fer entouré de ruban adhésif pour peintres. Pour le reste, le cerf porte des vêtements marron. Chaussettes noires aux pieds et aux mains. Visage maquillé de brun. Bout du nez noir.

Le garçon aux mains immenses

Mains immenses. On peut les fabriquer avec du carton agrafé. Sortes de grands gants plats. Un pardessus et un chapeau.

Le chat gris

Comme le chat noir, mais en gris.

Accessoires

Une omelette disposée sur une assiette, des couverts. Du thé dans une carafe, un verre.

Un portemanteau ou une chaise où accrocher le châle de la sorcière.

Un balai.

Un CD (pour le cerf). Un lecteur CD ou autre pour la musique.

Porque te vas, de Jeannette, est une chanson entraînante et gaie (1976). Presque tout le monde la connaît. Il existe une version française, mais elle est moins dynamique que la version originale en espagnol.

The end

Du même auteur à *l'école des loisirs*

Collection Mouche

Le duel
L'incroyable Zanzibar
Le bonheur de Lapache
La grande Adèle et son petit chat
L'invention de la chaise
Les beaux jours de Socquette et Bouldepoil
Socquette et Bouldepoil trouvent qu'il ne fait pas chaud
Docteur Fred et Coco Dubuffet
Waldo et la mystérieuse cousine
Carlo